Lisa et Moïse

tempo

Couverture illustrée par Alain Corbel

ISBN : 274-850500-X

JACQUES VÉNULETH

Lisa et Moïse

SYROS

À ma fille Sabrina.
À mon ami Innocent et au jeune Moïse.

1

La plage africaine, bordée de palmiers, était aussi jolie que sur les photos des magazines.

Pourtant Lisa était triste. Assise seule et loin des autres, elle boudait.

Moïse marchait au bord de l'eau. Parvenu à hauteur de Lisa, il traversa direct la bande de sable brûlant pour venir lui parler :

– Bonjour, je m'appelle Moïse, lança-t-il avec un grand sourire.

– Moi, c'est Lisa. Salut.

Elle répondit sans hésiter, car elle commençait à être fatiguée de bouder.

– Qu'est-ce que tu fais ? continua Moïse.

– Rien.

Rien en effet, Lisa ne faisait rien. Elle dessinait sur le sable. Elle traçait des signes qui n'avaient aucun sens, juste pour s'occuper.

– Et toi ? ajouta-t-elle.

– Je travaille.

Il portait un grand plateau posé sur la tête.

– Tu travailles ?

– Oui, regarde.

Il mit un genou à terre, glissa ses deux mains sous le plat en équilibre. Il le déposa délicatement à côté de Lisa.

– Ouah ! s'exclama-t-elle, sans sursauter ni reculer, car elle n'avait peur de rien.

Une quinzaine de crabes menaçants, pris au piège d'un filet, tendaient désespérément leurs énormes pinces vers le ciel.

– Mes frères les ont attrapés ce matin au lever du soleil. Ils se cachent dans ces trous que tu aperçois dans le sable mouillé. Je vais les porter au cuisinier de ton club de vacances...

Mais Moïse ne voulait pas continuer à parler des crabes. Il n'était pas venu pour ça. Il changea brutalement de sujet :

– Je t'ai remarquée depuis longtemps, depuis que tu es arrivée. Tu es toujours assise loin des autres. Tu ne les aimes pas ?

Surprise et agacée, Lisa haussa les épaules :

– Qu'est-ce que tu vas inventer ?

– Je n'invente rien. Je te demande.

Lisa ne s'attendait pas à une question si directe, elle avait besoin de réfléchir. Elle ramena ses genoux sous son menton, les entoura de ses deux bras liés et lança à Moïse :

– Il te plaît, ton travail ?

Moïse éclata de rire.

– Tu poses de drôles de questions quand tu n'as pas envie de répondre ! Il me plaît, il me plaît pas, je n'en sais rien. Je dois le faire, alors je le fais.

Malgré le rire de Moïse, Lisa ne pouvait pas se fâcher. Au contraire, elle décida d'être franche :

– Je les aime, les gens qui sont avec moi, mais cette année, rien ne marche comme il le faudrait.

– Tu es déjà venue ici ?

– Bien sûr. Je viens depuis longtemps, au moins trois ans, au même endroit.

– C'est la première année que je te vois.

– Avant, j'étais toujours avec les autres. Je participais à leurs jeux. Je n'étais jamais assise à l'écart. C'est peut-être pour cette raison que tu ne m'avais pas vue.

– Peut-être.

– Il n'est pas venu et je pense tout le temps à lui. Ça me rend triste, mais je ne peux pas m'en empêcher.

– De qui tu parles ? Qui n'est pas venu ?

– Mon père.

– …

– Ce qui m'énerve, c'est qu'ils m'ont caché jusqu'au bout qu'il ne viendrait pas. Je l'ai appris dans le taxi qui nous a amenées à l'aéroport, ma mère et moi.

Moïse, qui s'était accroupi à côté de Lisa, avait attrapé une poignée de sable et le regardait filer lentement entre ses doigts.

– Ça ne t'intéresse pas ce que je dis ? De toute façon, plus personne ne s'intéresse à moi !

– Si ! ça m'intéresse, je t'écoute ! Je ne comprends pas tout, mais j'écoute… Mon père aussi, il est parti. Il est parti depuis un an. Il est au Ghana pour le business. Ça ne me rend pas triste. Je crois qu'il a bien fait. De temps en temps, il nous envoie de l'argent. On en a besoin.

– Ce n'est pas pareil. Je ne sais pas comment t'expliquer…

– Tu viens te baigner ?

– Je n'ai pas le droit de me baigner toute seule.

– Tu ne seras pas toute seule, tu seras avec moi.

Ce fut au tour de Lisa d'éclater de rire.

– Tu as raison ! remarqua-t-elle.

Elle se leva et courut se jeter dans l'océan sans attendre Moïse.

Il ne s'affola pas pour autant. Avant de la suivre, il prit le temps de couvrir ses crabes d'un chiffon mouillé pour les protéger du soleil brûlant.

2

Ils jouèrent longtemps au milieu des vagues aussi hautes que des montagnes.

Ils jouèrent d'abord à se laisser renverser et traîner par les flots le plus loin possible sur la plage. Lisa, plus légère, gagnait à tous les coups. Elle était ravie.

Ensuite, ils trouvèrent plus rigolo de se tenir par la main. Le courant les emportait, accrochés l'un à l'autre, sans parvenir à les séparer.

Épuisée, Lisa sortit la première. La tête lui tournait. Elle n'avait pas l'habitude.

Non seulement Moïse resta dans l'eau, mais il en profita pour briller, montrer ce dont il était capable. Il s'amusa à nager vers la pleine mer, en franchissant la barre, la dernière ligne de vagues.

C'était très dangereux. Lisa le savait parfaitement. On le lui avait dit et répété.

Moïse avait certainement appris à maîtriser ces pièges mortels. Il n'était pas inquiet. Quand il se retourna enfin, même de si loin, on devinait qu'il souriait encore.

Lisa l'admirait. Elle était déjà fière de son nouvel ami.

Il regagna la côte sans problème, en se glissant sous une vague, comme s'il faisait du surf. Il atterrit très loin de l'endroit où ils étaient entrés dans l'eau et rejoignit Lisa en courant.

– Tu n'as pas peur de ne pas pouvoir revenir ?

– Non, répondit-il. Pourtant, ça m'est

arrivé... mais heureusement, des pêcheurs m'ont sauvé.

En racontant son aventure, Moïse continuait à sourire. Du coup, son histoire tragique prenait des airs de bonne blague.

– Où habites-tu ? demanda Lisa.

– Là-bas.

Moïse désigna mollement, sans se retourner, un point perdu dans la ligne de cocotiers qui bordait la plage.

– Il y a des maisons, là ? répliqua Lisa sans réfléchir.

C'était idiot ce qu'elle disait. Elle savait très bien qu'il y avait des maisons. Elle les avait aperçues plusieurs fois. Simplement, jusqu'à présent, elle avait vu les maisons, mais sans réaliser que des gens, des familles avec leurs enfants, pouvaient y vivre.

– C'est vrai, elles ne ressemblent à rien, elles sont moins jolies que les bungalows de ton club, mais ce sont des maisons, approuva Moïse, toujours aussi gaiement.

Lisa rougit. Sans le faire exprès, elle l'avait peut-être vexé.

– Je n'ai pas voulu dire qu'elles étaient laides. Au contraire.

Elle essayait de se rattraper.

– Tu en as déjà visité une ? enchaîna Moïse.

– Non, avoua Lisa.

– Si tu veux, je t'amène, je te montre...

– D'accord, répondit-elle aussitôt, autant par curiosité que pour cacher sa gêne.

– Attends-moi ici, demain à la même heure. Dès que j'aurai livré mes crabes, je viendrai te prendre.

Lisa acquiesça d'un signe de tête. Quand elle avait donné sa parole, elle n'était pas du genre à changer d'avis.

– Tu as le droit de partir si loin ? s'inquiéta pourtant Moïse.

Il se souvenait que Lisa avait affirmé qu'elle ne pouvait pas se baigner seule.

– Pourquoi pas ? fanfaronna Lisa. Ils ont bien le droit de vivre leur vie sans rien me dire... De toute façon, en ce moment, ma mère ne sait même plus que j'existe !

– O.K. ! approuva simplement Moïse, qui, contrairement aux apparences, n'aimait pas s'occuper des histoires qui ne le regardaient pas.

Il s'intéressa de nouveau à ses crabes. Par précaution, pour ne pas les étouffer, il retira d'abord le chiffon mouillé qu'il avait jeté sur eux. Puis il posa un genou à terre et, d'un geste sec, il souleva son plateau et le remit sur sa tête.

Il s'éloigna en agitant la main en signe d'au revoir.

3

Le lendemain, comme promis, Moïse vint chercher Lisa dès qu'il eut achevé sa livraison de crabes. À l'aller, il s'était contenté de la saluer au passage, sans s'approcher.

– Suis-moi, lui proposa-t-il, et elle le suivit.

Ils marchèrent l'un derrière l'autre au bord de l'eau, puis abandonnèrent la plage pour s'enfoncer sous les cocotiers.

Moïse avertit Lisa :

– Ne traîne pas sous les arbres. Si un fruit tombe, il peut te tuer.

Lisa haussa les épaules, pas vraiment convaincue. Elle venait depuis trois ans en Côte d'Ivoire, mais connaissait peu le pays, car elle sortait rarement du club.

– Tu ne me crois pas... devina Moïse. Attends !

Il repéra un arbre, dont le tronc tordu s'élevait très haut dans le ciel.

– Tu vois ces fruits, là-haut ?

Les noix de coco, collées les unes aux autres, formaient presque une grappe.

– Ne bouge surtout plus !

Il grimpa lestement et, parvenu à mi-hauteur, secoua le cocotier aussi fort qu'il le pouvait. Deux fruits se détachèrent. Ils s'écrasèrent avec fracas aux pieds de Lisa, en soulevant un petit nuage de sable.

– Génial ! s'écria Lisa, qui adorait les émotions fortes. Il valait mieux ne pas être dessous !

– Tu as tout compris... Viens, maintenant. Nous n'avons pas beaucoup de temps.

Ils finirent de traverser l'étroite bande de cocotiers et atteignirent la lagune.

La lagune est un étang qui, partout sur cette côte, sépare la plage du continent. À cet endroit, elle n'était guère plus large qu'un canal, mais on ne pouvait évidemment pas la traverser à pied. À la nage, c'était risqué à cause des crocodiles.

Heureusement, une pirogue les attendait, à moitié tirée sur la berge.

– Il est pour nous, le bateau ? s'écria Lisa, enchantée.

Elle ignorait la présence des crocodiles, mais, de toute façon, elle accordait déjà à Moïse une entière confiance.

Elle s'assit à l'avant et son copain s'installa derrière elle, après avoir poussé l'embarcation pour l'éloigner du rivage.

Il enfonçait la pagaie qu'il avait récupérée, une fois d'un côté, une fois de l'autre. Il ne faisait pratiquement aucun bruit, à peine un léger « flop ».

Posée sur l'eau comme sur un nuage, Lisa avait oublié ses soucis. Elle partait pour l'aventure au cœur de l'Afrique.

De l'autre côté de la lagune, elle ne fut pas déçue. Une meute d'enfants braillards l'attendaient et l'accueillirent comme une princesse.

Le village avait rarement l'occasion de recevoir la visite d'une étrangère. C'était un événement.

Lisa était flattée, mais Moïse se mit en colère, car il était jaloux. Il n'avait pas envie de partager Lisa. Il aurait aimé rester son seul guide.

Il voulut chasser les importuns en criant, mais réussit uniquement à éloigner un instant les plus peureux.

Il dut se résigner. Il offrit sa main à Lisa pour l'aider à sauter de la pirogue, puis il se contenta de la protéger au cœur de son bruyant cortège.

Ils traversèrent un vaste terrain vague et longèrent les premières bâtisses en terre séchée.

Dès qu'il le put, Moïse s'engouffra dans une mince ouverture entre deux baraques. Évidemment, il connaissait et attendait ce passage. Il attrapa Lisa par la main pour l'entraîner derrière lui.

La ruelle était si étroite qu'elle ressemblait à un tunnel. D'ailleurs, Lisa baissa la tête et ferma les yeux un court moment.

Quand elle les rouvrit, elle était ailleurs, loin de la foule et loin du bruit. Cinq ou six enfants seulement avaient osé les suivre.

– Où sommes-nous ? demanda-t-elle.

Elle se tenait à l'entrée d'une cour en terre battue. Des portes en bois de toutes les couleurs ouvraient sur cet espace protégé.

– Nous sommes chez moi, répondit fièrement Moïse. Tous ceux qui habitent ici appartiennent à ma famille, à mon clan.

– C'est pour ça que les autres n'ont pas osé entrer ? Ils n'ont pas le droit ?

– Les autres ? Quels autres ? s'étonna Moïse.

– Les enfants qui nous suivaient, voyons ! Ceux qui nous ont accueillis, puis accompagnés depuis le bateau... Ils étaient beaucoup plus nombreux !

– Ah, les autres ! Non, tu n'y es pas ! Ils avaient le droit, mais ils ont préféré rester dehors, parce qu'ils ont peur. Ils ont peur, parce qu'elle est là. Ils ont peur d'elle... Viens, je vais te la présenter.

– De qui parles-tu ?

Lisa ne comprenait pas ; elle n'avait pas encore repéré ce qu'il fallait voir : au milieu de la cour se trouvait une vulgaire dalle en béton. Sur cette dalle, il y avait un tapis, et sur le tapis, un méli-mélo de tissus en désordre, froissés, emmêlés...

Lisa sursauta en criant :

– Qui est-ce ?

Elle avait vu. Elle avait enfin vu que le tas de tissus n'était pas un quelconque tas de tissus. Il couvrait en partie quelqu'un : une vieille femme, une très vieille femme. Mollement étendue de tout son long et la tête posée dans le creux de la main, elle observait Lisa de ses yeux brillants. Des yeux trop brillants pour son âge, des yeux de jeune fille.

– C'est ma grand-mère, répondit simplement Moïse.

– Ils ont peur d'elle ? Pourquoi ? Elle n'a pas l'air méchante.

– Elle n'est pas méchante, mais ils ont peur d'elle parce qu'elle est un peu sorcière...

– Comment ça, sorcière ? Ça n'existe pas, les sorcières !

– Peut-être, mais eux, ils y croient... et moi aussi, d'ailleurs, conclut-il plus bas.

4

La vieille femme s'était déjà redressée au milieu des tissus colorés qui l'emmaillotaient. Assise, elle tendit ses mains fripées vers Lisa pour l'accueillir :

– *Akouaba ! Aissa tai won nhô !*

Lisa lui abandonna les siennes en souriant poliment, mais elle se tourna en même temps vers Moïse pour l'appeler au secours :

– Qu'est-ce qu'elle dit ?

– Elle te souhaite la bienvenue. Tu es chez toi dans cette maison.

– Ah, c'est gentil ! Merci, madame.

La sorcière éclata de rire. Son rire était aussi frais que son regard, aussi léger.

– Madame ! Quelle horreur ! Ne m'appelle pas « madame » ! Appelle-moi « Tantie », je préfère. « Tantie Adélaïde » !

– Bien sûr, madame Adélaïde... Euh... ma tante... Bien sûr.

Lisa perdait lentement sa belle assurance, au point de s'inquiéter :

– Moïse ! ce n'est pas normal ! Je crois que je comprends l'africain !

– Non, ce n'est plus de l'africain. Elle parle maintenant français. Je ne savais pas qu'elle pouvait, mais elle est sorcière...

Adélaïde, qui avait tout entendu, se leva alors comme une furie :

– Quel imbécile, ce gamin ! (Elle était très en colère, et son regard était devenu si terrible que l'on saisissait mieux pourquoi les enfants avaient peur d'elle.) Pas la peine d'être sorcière pour parler français.

Il suffit d'apprendre. Tu me prends pour une idiote, incapable d'apprendre le français ? Disparais de mes yeux ! Pfuit ! Disparais, je ne veux plus te voir !

Le temps que Lisa se retourne pour vérifier comment Moïse réagissait à ces paroles menaçantes, il n'était déjà plus là, s'était enfui sans demander son reste.

Il s'était enfui, ou bien...

À sa place, exactement à la même place, un gros lézard africain, un « margouillat », observait attentivement la scène, en dressant sa tête rouge au-dessus de ses pattes avant.

Lisa s'essuya nerveusement le visage. Tout allait trop vite et elle avait soudain très chaud.

– Vous... vous l'avez transformé ? bégaya-t-elle.

– Mais non, mais non ! se défendit mollement Tantie Adélaïde. De toute façon, je te promets qu'il reviendra quand il le faudra pour te ramener à l'hôtel.

En même temps, elle cracha par terre, peut-être pour confirmer ses dires, comme les enfants qui jurent, ou peut-être tout simplement parce qu'elle avait envie de cracher.

Lisa n'était plus sûre de rien. Elle était complètement dépassée, perdue.

Tantie Adélaïde, de nouveau douce et affectueuse, passa son bras autour de la taille de Lisa. En la tenant ainsi comme une copine, elle l'invita à déambuler dans la cour qui s'était remplie. Les enfants trop curieux avaient surmonté leurs craintes et les femmes avaient trouvé une bonne raison pour s'installer sur le pas de leur porte et ne rien perdre du spectacle.

– Donc, tes parents ne s'entendent plus et tu te sens seule et abandonnée. Ton père n'est pas venu, tu crois que ta mère t'oublie... C'est vrai, ce n'est pas facile.

– Comment vous savez ça, vous ?

– Je le sais. Ne cherche pas toujours à comprendre. C'est énervant... Je crois que je peux t'aider, mais seulement si tu en as envie et si tu n'as plus peur de moi !

– Je n'ai pas peur !

– Allons, allons, il ne faut pas mentir à Tantie Adélaïde. Mentir à Tantie, c'est aussi idiot que se mentir à soi-même... Mais assez discuté pour aujourd'hui ! Tu as déjà trop traîné. Il ne faut quand même pas exagérer et quitter trop longtemps ton club de vacances. Va ! Ton ami est prêt à te ramener.

En prononçant ces mots, Adélaïde regarda par-dessus l'épaule de Lisa, qui se retourna aussitôt.

Moïse était bel et bien revenu, apparemment en pleine forme... Et, comme par hasard, le « margouillat » avait disparu !

– Où est le lézard ? demanda Lisa, sans même prendre le temps de réfléchir.

La cour entière éclata de rire, les enfants, déjà excités comme des puces, mais les femmes aussi. Ils ne comprenaient pas tous le français, mais chacun avait deviné la question dans le regard étonné de Lisa.

– Le lézard ? Ne t'inquiète donc pas pour ces animaux ! répliqua Tantie Adélaïde. Il y a plein de lézards ici, il y en a partout !

Elle montra les murs alentour et, en effet, accrochés aux façades ou posés sur le rebord des toits, les « margouillats » ne manquaient pas, ils étaient chez eux. Avec leur tête qu'ils balançaient de haut en bas comme des automates, ils semblaient rire eux aussi, participer à la moquerie générale.

– Va, pars vite, enchaîna la sorcière, et si tu as confiance en moi, reviens me voir demain à la même heure, et aussi souvent que tu le voudras.

5

Le lendemain, Lisa décida de ne plus retourner au village, d'oublier Moïse, Tantie Adélaïde et les autres.

Elle était vexée. Elle avait le droit d'être vexée. Ils s'étaient moqués d'elle.

Elle recommença à bouder sur la plage, exactement comme au premier jour. Elle bouda jusqu'à ce que Moïse vienne la chercher.

Quand il se présenta devant elle, souriant de toutes ses dents, avec son plateau vide sur la tête, elle fut incapable de résister plus longtemps.

– C'est vrai qu'elle est sorcière, ta grand-mère ! Elle me fait peur, vous vous moquez tous de moi, et pourtant j'en redemande !

– Je t'avais prévenue.

De nouveau, ils quittèrent discrètement la plage pour traverser la bande de cocotiers puis la lagune.

Dans le village, Lisa n'était plus vraiment une étrangère. Les enfants furent aussi nombreux que la veille à l'accueillir, mais ils se contentèrent de la saluer ou de la toucher, puis la laissèrent tranquille.

Lisa s'installa devant Tantie Adélaïde, qui était déjà assise, certainement parce qu'elle l'attendait.

– Je suis revenue !

– Je vois, je vois.

– Je ne sais pas pourquoi je suis revenue ! s'exclama Lisa en riant.

En même temps, elle se pencha vers Tantie, l'embrassa sur les deux joues comme une quelconque et inoffensive grand-mère et s'assit devant elle en tailleur.

– Moi, je sais, répliqua tranquillement celle-ci. Je l'ai lu ici.

Elle sortit des plis de son pagne une poignée de coquillages, des cauris, fendus d'un trait comme une bouche mystérieuse. Lisa connaissait. Elle en portait même un collier.

– Je l'ai lu sur leurs lèvres... Je les ai lancés ainsi devant moi...

Adélaïde joignit le geste à la parole, éparpilla entre ses jambes la dizaine de précieux objets. Chacun roula et s'immobilisa, la bouche tournée dans une direction différente.

– Ainsi ils me parlent, ils répondent à mes questions.

En haussant les épaules, elle rassembla et récupéra ses cauris, puis approcha son visage de celui de Lisa.

– Écoute. À toi, je peux bien l'avouer...

Du coin de l'œil, elle surveillait en même temps Moïse, qui était humblement et prudemment resté à l'écart. Elle voulait être certaine qu'il ne puisse rien entendre.

– J'ai le pouvoir de lire dans les coquillages, souffla-t-elle dans l'oreille de Lisa, mais j'ai parfois besoin d'aide... Hier, tes yeux m'ont parlé plus clairement que les meilleurs cauris. J'ai compris que tu en avais assez de faire la tête. C'est idiot de bouder alors qu'il y a tant de choses à voir, à découvrir, à partager... J'étais certaine que tu reviendrais.

– C'est vrai, tu as bien deviné, répondit Lisa. Mais pourquoi mes parents...

– Chut !

Adélaïde posa délicatement sa main ridée sur la jolie bouche de Lisa.

– Arrête avec tes parents ! Je vais te dire une chose : tes parents, je ne sais pas ce qui leur arrive, mais, en tout cas, ils ne t'ont pas oubliée !

– Qu'est-ce que tu racontes ? Tu ne les connais pas, mes parents !

– Oh, ça suffit maintenant !

Changeant brutalement d'humeur, comme elle pouvait si bien le faire, Adélaïde redressa son dos voûté et transperça Lisa du poignard de son regard :

– J'en ai assez de ces jeunes qui ne respectent rien, qui doutent du pouvoir des anciens ! Si tu continues, je vais te transformer... tiens, en poulet-bicyclette, par exemple, ça t'ira très bien.

Il y en avait justement un qui passait, traversait la cour, l'air hautain, en tricotant l'espace de ses pattes démesurées qui lui valaient son surnom.

Lisa ne se risqua pas à sourire, car la figure d'Adélaïde était devenue trop inquiétante.

– Je ne doute pas de toi, Tantie, je ne doute pas de toi ! Je suis simplement étonnée que tu connaisses mes parents.

– Apprends, petite fille, que je connais parfaitement tous ceux qui vivent sur mon territoire. Ton campement, la maison des étrangers, en fait partie. Là-bas j'ai des yeux, des oreilles, ceux qui y travaillent me renseignent, me rendent des services... Pourquoi crois-tu que tu te promènes aussi tranquillement loin de ta mère ?

– Ah !... maman m'a confiée à toi !

– Elle ne me connaît pas, mais c'est comme si elle t'avait confiée à moi. Les yeux qui te suivent sont un peu les miens.

– Alors elle ne m'a pas oubliée, elle s'occupe toujours de moi !

– Évidemment ! En ce moment, elle a besoin de se reposer, c'est tout... Ton père aussi pense à toi, d'ailleurs. Il a téléphoné pour prendre de tes nouvelles pas plus tard que ce matin.

– Mon père ! Et tu le sais déjà ? Tu le sais avant moi ?

Adélaïde confirma d'une mimique faussement modeste. Elle allait mieux. Elle avait retrouvé un visage paisible et amical. Sa colère s'était évanouie aussi rapidement que ces vents mauvais qui se lèvent pour annoncer une tempête qui ne viendra pas.

Lisa aussi se sentait mieux. Elle était toujours seule, mais au moins elle n'était plus abandonnée.

Soulagée, elle se dressa sur ses genoux.

Elle voulait remercier Adélaïde d'un nouveau baiser.

Pourtant, au dernier moment, elle arrêta son geste.

Un doute terrible venait de lui traverser l'esprit.

6

– Moïse ! Moïse aussi est chargé de me surveiller ? demanda Lisa, catastrophée. Il n'est là que pour ça ?

– Moïse ? Non... Viens, approche !

Adélaïde colla de nouveau ses lèvres contre l'oreille de Lisa.

– Moïse, tu lui plais beaucoup, je crois même qu'il est un peu amoureux... Il m'est très utile, mais il n'est au courant de rien.

Lisa rougit, gênée, car bien sûr le sentiment était réciproque.

Heureusement, Adélaïde n'insista pas. Au contraire.

– Assez bavardé ! décréta-t-elle. Tu as sûrement mieux à faire et Moïse commence à s'impatienter.

Moïse en effet se tenait toujours respectueusement à distance, mais dansait de plus en plus nerveusement d'un pied sur l'autre.

– Il s'impatiente, mais tu remarqueras qu'il ne s'autorise aucune impertinence, lui ! poursuivit malicieusement Adélaïde. Maintenant, à toi de choisir… Il te reste sept jours de vacances. Tu continues à te lamenter dans ton coin ou tu acceptes d'être mon invitée et, jour après jour, tu découvres l'Afrique comme jamais tu n'aurais pu y parvenir seule… Réfléchis, ne viens pas, après, m'accabler de reproches… Il y a tout de même une condition : tous les soirs, à six heures, avant le coucher du soleil, tu devras être de retour dans ta chambre.

N'oublie surtout pas !... Sinon, je ne peux rien pour toi !

– Ah oui, je vois ! Comme Cendrillon !

– Qui c'est, celle-là ?

– Non, laisse ! comprit Lisa. C'est une autre histoire... J'ai déjà réfléchi, j'accepte, conclut-elle et, en même temps, elle accorda à Tantie Adélaïde ce baiser qui était resté en suspens.

Elle ne douta pas d'avoir fait le bon choix, presque sans réfléchir.

Sept jours durant, elle oublia les soucis que lui causaient ses parents sans le faire exprès. Pas mal !

Sept jours durant, ce qu'elle découvrit l'étonna toujours, l'amusa souvent, la bouleversa parfois.

Sept jours durant, elle ne songea pas un instant à bouder, à courir se réfugier dans sa bulle. Un sacré progrès.

Le matin, Moïse venait la chercher sur la plage, sa livraison de crabes achevée.

Le soir, Lisa prenait bien soin de respecter l'heure du retour.

Elle sut ainsi profiter de sa chance, en évitant que sa pirogue ne se transforme bêtement en calebasse, la citrouille locale.

7

Jour J – 6.

Moïse répara un grand oubli, en présentant enfin sa famille à Lisa, qui ne connaissait que Tantie Adélaïde. Il commença évidemment par sa mère :

– Elle s'appelle Denise-Annan.

Il en profita pour expliquer que c'était une habitude, ici, de porter deux prénoms, un européen et un africain. On utilisait l'un ou l'autre selon les circonstances, ou même les deux à la fois.

Denise-Annan était en train de préparer le repas, en portant un bébé dans le dos.

– C'est ma sœur, Offomou. Elle est super, elle ne pleure jamais. Quand elle ne dort pas, elle rigole. Tout à l'heure, si tu veux, tu pourras la porter.

Lisa ne protesta pas, mais ouvrit de grands yeux affolés, car elle n'avait jamais eu l'occasion de tenir un si petit bébé.

Autour de Denise-Annan, plusieurs enfants s'affairaient pour l'aider, et peut-être aussi pour jouer.

Le lieu n'était pas une vraie cuisine, juste un espace coincé entre deux maisons, avec tout un bazar d'ustensiles posés à même le sol en terre. Il y avait des bassines en plastique rouges et vertes, un brasero calé contre un mur, un grand bidon en fer rempli d'eau et d'autres plus petits autour. Mais, vraie cuisine ou pas, ça sentait déjà bon.

– Vous êtes tous frères et sœurs ? s'étonna Lisa.

– Pas vraiment, mais c'est tout comme. Même si nous venons d'un peu partout, aujourd'hui nous vivons ensemble avec maman, grand-mère, un oncle et quelques tantes. Ça suffit pour être frères et sœurs, non ? Attends, tu vas voir !

Moïse fit asseoir Lisa sur un tabouret et lui amena en riant, à la queue leu leu, ses frères, ses sœurs ou c'est-tout-comme.

Lisa salua chacun d'un signe de tête, ou d'une main tendue pour les plus grands, d'un baiser volé pour les petits qui se laissaient attraper.

– Amon aide beaucoup ma mère. Ses parents veulent bien qu'elle reste avec nous, car ils ont déjà trois grandes filles. Ils nous l'ont prêtée...

– Prêtée ? répéta Lisa, qui n'était pas certaine d'avoir bien compris.

Moïse enchaîna sans plus d'explications :

– Innocent est collégien. Il est en pension ici. Son autre famille vit quelque part dans la brousse, à des heures et des heures de route sur une piste difficile, trop loin. Il y retourne pendant les grandes vacances.

« Wilfried est mon frère aîné. Il est comme moi le fils de Denise-Annan.

« Jeanne est ma sœur.

« Victoire est ma cousine. Sa mère est morte en la mettant au monde. Son père a disparu le même jour, a quitté le village, peut-être le pays. On n'a plus jamais entendu parler de lui. Victoire chante du matin au soir. Sa voix est si belle, si juste que personne ne s'en plaint. Elle veut faire du chant son métier. Tout le monde pense qu'elle a raison, mais sans savoir par quel miracle elle parviendra à réaliser ce rêve fou.

« Les parents de Félix-Siapo sont installés au Ghana, un pays voisin. Ils font du commerce. Mon père est chez eux en ce moment. Ils voulaient revenir très vite, mais ils ne peuvent pas encore. Ils pensent beaucoup à leur fils, ils lui écrivent souvent.

« Elloh, on ne sait pas d'où il vient. Grand-mère nous l'a amené un jour sans un mot d'explication et, bien sûr, quand grand-mère ne dit rien, personne ne l'interroge.

Dans la pirogue du retour, Lisa ne prononça pas un mot. Elle réfléchissait. Jusqu'à ce matin, elle pensait que sa vie était la plus compliquée du monde. Elle n'en était plus autant persuadée.

– Votre chance, c'est que vous n'êtes jamais seuls ! se décida-t-elle à déclarer solennellement à son ami.

Moïse se contenta d'approuver poliment en hochant la tête. Il n'avait jamais eu le temps de réfléchir à ce que pouvait être sa chance.

Jour J – 5.

Lisa découvrit la danse africaine avec Victoire, qui aimait tout ce qui bouge et pas seulement chanter. Au début, elle n'y arrivait pas : ce n'était pas évident de jeter les fesses en arrière et de les agiter en même temps. Au rythme du djembé, sur lequel Moïse frappait sans discontinuer, elle insista et remua enfin son derrière en cadence, sous les applaudissements et les vivats des femmes et des enfants de la cour.

Jour J – 4.

Lisa laissa Denise-Annan lui confier Offomou.

Elle s'allongea d'abord à côté du bébé sur un tapis étalé sous la véranda. Elle le caressa, le protégea des mouches, le calma, parvint à l'endormir. Elle y parvint si bien que, la chaleur aidant, elle s'endormit aussi.

Plus tard, elle promena Offomou dans ses bras comme on le fait en France, avant d'accepter de la porter dans son dos.

C'était rigolo, mais Jeanne dut rester constamment à ses côtés. Même bien serré dans le châle noué sur sa poitrine, Lisa avait peur que le bébé tombe.

8

Jour J – 3.

Lisa se proposa d'aider Amon à préparer le repas.

En fait, elle voulait discuter avec elle pour mieux la connaître. Les mots qu'avait utilisés Moïse l'intriguaient toujours : « Sa famille nous l'a prêtée. » Ça voulait dire quoi, « prêter » ?

Lisa s'assit à côté d'Amon pendant qu'elle broyait et malaxait le manioc dans le mortier à grands coups de pilon. Elle lui passait au fur et à mesure les morceaux qu'elle venait de couper.

En travaillant ensemble, elles se souriaient beaucoup, mais pas moyen d'engager la conversation, car Amon ne connaissait que trois mots de français.

Lisa dut se résigner à appeler Moïse à la rescousse.

Il n'aimait pas les questions indiscrètes de Lisa. Il traduisait à contrecœur. Lisa apprit pourtant très vite ce qu'elle voulait savoir : Amon n'était jamais allée à l'école, et « prêtée » voulait dire qu'elle devait travailler ici, que ça lui plaise ou non.

Moïse attendit d'être avec Lisa dans la pirogue, sur le chemin du retour, pour glisser, sans se retourner :

– Tu crois toujours que nous avons tous beaucoup de chance ?...

Lisa ne répondit pas.

Jour J – 2.

Lisa connut la peur de sa vie.

L'oncle devait aller travailler à la plantation, quelque part à l'intérieur des terres. Il proposa à Lisa de l'accompagner.

Elle était ravie, mais préféra interroger d'abord Tantie Adélaïde :

– C'est possible, Tantie ? Je serai rentrée dans les délais ?

– Va, ma fille, et sois prudente ! répondit celle-ci, après avoir expédié au loin un jet de salive rougeâtre, car elle était en train de mâchonner une noix de kola.

Bien sûr, Moïse était également du voyage, mais pas seulement lui. D'autres sautèrent sur l'occasion. Ils étaient douze en tout, des grands et des petits. La voiture était spacieuse, un break hors d'âge avec une banquette escamotable dans le coffre. Ils durent tout de même se serrer au maximum, surtout qu'une ou deux femmes lourdement chargées en profitaient pour apporter des affaires aux ouvriers de la plantation.

Ils quittèrent très vite la route confortable et goudronnée pour s'engager sur une piste dévastée par les premières pluies. Secoués en tous sens, ils apprécièrent d'être si serrés, car ils ne risquaient pas de se blesser.

Ils abandonnèrent la voiture-shaker à l'orée d'une épaisse forêt et poursuivirent leur route à pied. Ils marchaient en file indienne, comme dans les expéditions, derrière l'oncle qui taillait son chemin à la machette. Lisa jouait à se faire peur en s'imaginant qu'un fauve pouvait se jeter sur eux, mais on lui avait bien expliqué que ces animaux avaient disparu depuis longtemps de cette région d'Afrique. Il y avait en revanche des oiseaux magnifiques, des oiseaux de toutes les couleurs.

Après un quart d'heure de marche, la jungle s'ouvrit sur un immense espace défriché, planté de bananiers et de cacaotiers. Ils continuèrent jusqu'au campement où les attendaient les ouvriers, puis l'oncle prit Lisa à part pour lui montrer de près les plants et les fruits. Elle écoutait attentivement, voulait tout savoir, posait des questions...

– Et là ? demanda-t-elle, en s'approchant au plus près d'un arbre et en montrant quelque chose du doigt.

L'oncle abaissa le bras tendu de Lisa d'un geste si brusque qu'il lui fit mal, et elle poussa un cri.

Un petit serpent, aussi vert que les bananes, pointait sa tête hors du régime que Lisa allait toucher. Évidemment, elle ne l'avait pas vu.

– Cet animal, s'il te mord, tu meurs dans les minutes qui suivent. Il n'y a plus rien à tenter.

En frottant son bras endolori, Lisa, qui avait évité le pire, se demanda si Tantie Adélaïde maîtrisait vraiment son histoire...

Jour J – 1.

Lisa et Moïse décidèrent que cette journée serait la leur, seulement la leur. Ils oublièrent d'aller au village, oublièrent les autres. Ils ne se quittèrent pas du matin au soir.

Ils s'éloignèrent sur la plage et se baignèrent longtemps, comme au premier jour.

Quand Lisa eut soif et faim, Moïse s'occupa de tout.

Il pela à la machette une noix de coco fraîche. Il tenait fermement le fruit dans sa main gauche et de l'autre appliquait de grands coups secs, précis. Lisa frémissait à chaque fois et fermait les yeux. Elle avait l'impression qu'il allait se couper un doigt, ou même toute la main. Mais il ne se blessa pas ; il avait l'habitude. Pour finir, il dégagea une mince ouverture et offrit le liquide à Lisa, avant de couper la noix en deux.

Plus tard, ils se gavèrent de mangues. Moïse les avait repérées au sommet d'un arbre isolé au bord de la lagune. Elles trônaient, mûres à point, inaccessibles. Il les cueillit à la fronde, comme un chasseur, et les fit tomber dans les mains tendues de Lisa.

Ils mangèrent les fruits si goulûment que le jus sucré coula dans leur cou, le long de leurs bras. Ils durent retourner à l'océan se rincer.

C'était l'heure où les pêcheurs partaient lancer cet immense filet qu'ils traîneraient plus tard à bras d'hommes sur la plage. Moïse et Lisa se roulèrent dans le sable pour se sécher, puis contemplèrent le travail.

Trois, quatre, cinq fois, la longue pirogue chargée d'hommes heurta la dernière vague de la barre et, incapable de la franchir, fut renvoyée vers le littoral. Les rameurs durent se déchaîner, accélérer en chantant le rythme de leurs battements, pour vaincre enfin cette force et basculer du côté des eaux paisibles du grand large.

Ils purent alors s'éloigner tranquillement et dessiner un demi-cercle avec leur filet.

Le spectacle était magnifique, surtout ainsi à contre-jour, dans la lumière rasante du soleil qui s'enfonçait dans...

– Il va se coucher ! s'écria Lisa.

Elle se redressa d'un bond.

– Qui ? demanda Moïse, qui n'avait pas suivi.

– Le soleil, bien sûr ! Je dois rentrer ! Tantie Adélaïde m'a prévenue... Je n'ai pas le temps de t'expliquer.

Elle attrapa ses habits posés en tas sur la plage et partit en courant sans se rhabiller.

– Attends ! cria Moïse.

Moïse cria en vain, car Lisa n'entendait plus. Elle courait, courait, mais le sable traître, dans lequel ses pieds s'enfonçaient, la ralentissait. En outre, la nuit tombe vite sous les tropiques, très brutalement. Quand elle atteignit enfin l'entrée de son hôtel, il était déjà trop tard : l'heure fatidique avait sonné.

Inquiète, Lisa chercha autour d'elle ce qui avait changé.

Rien n'avait changé, strictement rien. Il ne s'était rien passé. Évidemment, pas de pirogue-calebasse ou de robe en haillons, mais rien d'autre non plus.

Lisa haussa les épaules :

– N'importe quoi ! Voilà que je me mets à croire aux histoires de sorcières !

Elle n'aurait peut-être pas dû hausser les épaules.

9

Le lendemain, jour J, Lisa comprit qu'il s'était bel et bien passé quelque chose. Le charme était rompu.

D'abord, pas de Moïse à l'horizon.

Lisa arpenta la plage. Elle avait le temps. Le car pour l'aéroport ne venait la chercher qu'en fin d'après-midi. Le jour J était encore tout entier à sa disposition. Elle comptait bien en profiter pour saluer ses amis, ceux qui étaient presque devenus une nouvelle famille.

Pour cela, elle avait besoin de Moïse.

Il faut croire qu'il n'avait plus de crabes à livrer, que la pêche de ses frères avait été mauvaise. À aucun moment sa silhouette n'apparut sur la plage, avec ou sans plateau.

Lisa n'aimait pas perdre. Quand elle voulait quelque chose...

Elle décida donc de rejoindre toute seule le village. Après tout, depuis le temps, elle connaissait parfaitement la route, et diriger une pirogue n'était pas si compliqué !

Les difficultés commencèrent dès qu'il fut question de quitter l'hôtel. Chaque fois qu'elle espérait s'éclipser discrètement, elle tombait sur quelqu'un qui sortait on ne sait d'où. Le quelqu'un était souvent sa mère, qui allait beaucoup mieux et avait retrouvé toute son énergie. Ce pouvait être aussi une vague connaissance ou un employé, qui lui demandait au dernier moment où elle allait ainsi, en lui parlant comme à une petite fille qui se serait perdue.

Lisa bouillait de colère, mais ne pouvait rien faire.

Quand elle parvint enfin à s'échapper, il était déjà trois heures de l'après-midi.

Elle traversa alors à grandes enjambées la forêt de cocotiers, qui lui parut immense. Avec Moïse, elle n'avait jamais mesuré ainsi la distance.

Quand elle atteignit la lagune, elle repéra très facilement la pirogue et la sortit sans trop de peine de son abri au cœur des hautes herbes.

Ce fut seulement lorsque l'embarcation glissa sur l'eau, quand elle voulut sauter vivement à l'intérieur, qu'elle réalisa le danger et poussa un cri d'effroi.

Des crocodiles. Il y avait des crocodiles partout...

Certains ouvraient des gueules aussi profondes que des précipices, en montrant leurs énormes dents pointues. Ils avaient faim, c'était évident, et la perspective de déguster une petite fille, même moyennement dodue, ne leur déplaisait pas. D'autres, les pires peut-être, patientaient à fleur d'eau, en laissant seulement dépasser deux yeux globuleux et un dos rugueux.

« Bonne arrivée ! » semblaient-ils tous déclarer, en se moquant de la formule locale de bienvenue.

Lisa n'essaya même pas de rattraper la pirogue, qui partait à vau-l'eau. Elle rebroussa chemin vite fait.

Elle n'aimait pas baisser les bras, mais cette fois, c'était trop... Elle n'était pourtant pas au bout de ses surprises.

Quand elle regagna l'hôtel, la panique était générale. Les gens couraient de tous côtés.

Lisa retrouva sa mère.

– Ah, ma chérie, te voilà ! Mais où tu étais, où tu étais ? Je te cherchais partout. Viens vite !

– Qu'est-ce qui se passe ? demanda Lisa.

– Il se passe qu'on nous veut du mal ! J'ignore pourquoi, mais on nous veut du mal ! La police ou l'armée, je ne sais plus, va nous protéger jusqu'à l'aéroport, nous accompagner. Viens vite !

– Qui nous veut du mal ?

– Tout le monde !

– Attends ! Je crois que j'ai compris ! C'est Tantie Adélaïde !

« Elle est trop, celle-là, tout de même ! pensa Lisa. Tout ce bazar pour quelques minutes de retard ! »

– C'est Tantie Adélaïde, répéta-t-elle, mais sa mère ne l'écoutait plus.

Elle devait s'occuper des bagages. Il n'y avait plus personne pour le faire à sa place. Le personnel était froid, distant ou carrément absent. D'ailleurs, quand le car démarra, personne ne salua gentiment de la main comme d'habitude. Les vacanciers quittèrent les lieux comme des voleurs.

La grille franchie, l'autocar roula très vite, précédé en effet de deux voitures de l'armée. La route était longue, car ils devaient contourner la lagune avant de retrouver le village d'en face, le village de Moïse et des siens.

– Ils m'énervent ! J'y comprends plus rien ! décréta Lisa, qui partit s'asseoir seule au fond du car.

Là, elle s'enfonça dans un siège et cala dans ses oreilles les écouteurs de son Walkman.

– Tant pis pour eux s'ils me laissent tomber !

Elle était déjà ailleurs, très haut, presque dans l'avion du retour, au-dessus des nuages.

Une fois la lagune contournée, le car dut ralentir, justement à hauteur du village de Moïse. Malgré les voitures de l'armée, pas moyen de faire autrement ; la foule était trop nombreuse. Il y avait un marché que les touristes connaissaient bien, car ils y effectuaient d'habitude leurs dernières emplettes. Mais aujourd'hui, pas question d'emplettes : ceux qui s'agglutinaient et collaient leur nez aux vitres n'avaient rien à vendre, rien à proposer. Ils criaient, insultaient, leurs figures étaient méchantes.

Dans l'autocar, les voyageurs avaient peur, mais pas Lisa, qui trouvait que décidément Adélaïde exagérait toujours.

Les militaires maîtrisaient la situation. Ils écartaient juste assez la foule pour que le véhicule continue à avancer lentement.

Alors, Lisa leva les yeux et elle vit Moïse.

Il se tenait à l'écart, seul et immobile.

10

Quand Moïse comprit que Lisa l'avait vu, et seulement à ce moment-là, il sourit. Il sourit comme il souriait toujours depuis qu'elle le connaissait. Puis il leva la main, montra l'objet qu'il tenait.

– Mais !... mais c'est mon collier, mon collier de cauris ! s'écria Lisa.

« Oui », opina Moïse, qui n'avait rien entendu, mais tout deviné.

« D'où il sort ? »

« Souviens-toi ! »

Rien que par gestes et regards échangés, ils arrivaient à discuter ainsi, à travers les vitres du car, au-dessus des cris et de l'agitation de la foule.

« Ça y est, je me souviens ! Je l'avais enlevé pour me baigner, posé sur mes habits. Il est tombé quand je suis partie en courant... »

« Exactement ! Je t'ai appelée, mais tu ne m'entendais plus. »

« Comment allons-nous faire ? Je ne peux pas descendre, même pas ouvrir une fenêtre... »

« Ne t'inquiète pas. Pour l'instant, je le garde. Regarde, je le mets dans ma poche. Je te le rendrai plus tard, la prochaine fois. »

Le visage de Lisa s'illumina :

« Plus tard, bien sûr ! Tu as raison. »

Bien sûr qu'il y aurait un plus tard ! Bien sûr que leur histoire n'allait pas s'arrêter là, aussi bêtement !

Plus tard, quand les uns s'arrêteront de crier, les autres de trembler, Moïse et Lisa se retrouveront, ici ou ailleurs, et il lui accrochera lui-même le collier de cauris autour du cou.

« Embrasse Denise, Amon, Wilfried, Jeanne, Victoire, Innocent, Félix-Siapo, Elloh, Offomou... Embrasse-les tous. Dis-leur que je pense à eux. Embrasse aussi Tantie Adélaïde, même si en ce moment je lui en veux un peu ! »

« Toi, embrasse ton père et ta mère. Je croise les doigts pour eux. »

– Au revoir, l'Afrique ! eut encore le temps de crier Lisa quand le car s'échappa enfin.

L'auteur

Né en Alsace, Jacques Vénuleth a toujours vécu dans le Midi, dans la région de Montpellier, et même un temps encore plus au sud, de l'autre côté de la Méditerranée.

Cette histoire est née d'une longue fréquentation d'amis africains et d'un séjour en Côte d'Ivoire.

Du même auteur, chez d'autres éditeurs

Paris Savane, éditions Milan, 2004

Le Père Noël et les enfants du désert, éditions Milan, 2003

Dans la collection
tempo

Laisse tomber la neige
Sigrid Baffert

Panique sur la rivière
Sigrid Baffert

La Guerre d'Éliane
Philippe Barbeau

Le Bonheur d'Éliane
Philippe Barbeau

Tellement tu es ma sœur !
Clotilde Bernos

Cher cousin caché...
Dominique Brisson

De Jérusalem à Nevé Shalom
Florence Cadier

J'étais enfant à Varsovie
Larissa Cain

Les Enfants d'Izieu
Rolande Causse

Une si petite fugue
Josette Chicheportiche

Le Cadeau oublié
Claude Clément

La Frontière de sable
Claude Clément

À cheval dans la steppe
Michel Cosem

L'Île Pélican
Michel Cosem

Plus vrai que nature
François David

La Gardienne des tortues
Martine Dorra

Il ne faut jamais dire jamais
Mano Gentil

Pêcheur d'espoir
Michel Girin

Au Gringo's bar
Gudule

Momo, petit prince des Bleuets
Yaël Hassan

Un arbre pour Marie
Yaël Hassan

Deux Mains pour le dire
Didier Jean et Zad

Ma mère est une étoile
Marie Leymarie

Les Saisons dangereuses
Virginie Lou

La Cour des acacias
Claire Mazard

Un violon dans les jambes
Hervé Mestron

Ours en cavale
Hélène Montardre

Avis de tempête
Claire Nadaud

Nassim de nulle part
Christian Neels

C'est encore loin l'Amérique ?
Pierre Plantier

Je voudrais te redire papa
Martine Pouchain

L'Été d'Anouk
Érik Poulet

Un jour au collège
Bertrand Solet

La Photo qui sauve
Janine Teisson

Taourama et le lagon bleu
Janine Teisson

Conforme à la loi n° 49.956 du 16 juillet 1949
sur les publications destinées à la jeunesse

Mise en pages : DV Arts Graphiques à Chartres
N° d'éditeur : 10134164 – Dépôt légal : août 2006
Imprimé en France par Hérissey - N° d'impression : 102540.